Meet big **J** and little **j**.

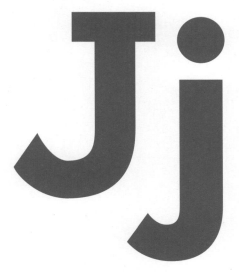

Trace each letter with your finger and say its name.

J is for

jellyfish

J is also for

jump

jeep

jaguar

joy

Jj Story

You are **just** in time for
The **J**ellyfish Show!

See the **j**ellyfish
juggle **j**uice cups!

See the **j**ellyfish **j**ump rope...

and drive a **j**ade-green **j**eep!

Wiggle, **j**iggle! See the **j**ellyfish
do a **j**azz dance with a **j**aguar!

It is such a **j**oy to see
The **J**ellyfish Show!